Para:

De:

Dirección de arte: Trini Vergara
Diseño: Renata Biernat

ARGENTINA: Ayacucho 1920 (C1112AAJ) Buenos Aires
Tel/Fax: (54-11) 4807-4664 y rotativas
e-mail: editoras@vergarariba.com.ar
www.libroregalo.com - www.vergarariba.com

MÉXICO: Galileo 100, Colonia Polanco,
Chapultepec, (11560) México D.F.
Tel/Fax: (5255) 5220-6620/21- 5281-4187/8451/8453
e-mail: editoras@vergarariba.com.mx

ISBN 987-9201-13-2

Fotocromía: DTP Ediciones, Buenos Aires, Argentina

Impreso por AVA Book Production Pte. Ltd.
Printed in China

Riba, Lidia María
Para el hombre de mi vida
1ª ed 2ª reimp. – Buenos Aires: Vergara y Riba, 2005.
48 p.: il.; 18 x 13 cm.

ISBN 987-9201-13-2

1. Narrativa Argentina.
I. Título

CDD A863

Para el hombre de mi vida

Lidia María Riba

Pinturas de Lola Frexas

V&R
EDITORAS

Mi amor, mi amante, mi compañero...

mi cómplice, mi pareja de juegos,
mi consejero.
A veces un hijo; otras, un padre.
En algunos irritantes momentos,
un director de escuela.
En muchos otros, mi único aliado.
El hombre de mi vida. Todo eso eres para mí.
Convertirte en alguna de esas cosas
te llevó apenas un instante.
La que te agradezco más,
te llevó más tiempo a mi lado:
hoy eres, sin lugar a dudas,
mi mejor amigo.

*N*o sé si nos enamoramos a primera vista.
Pero sí estoy segura de que algo
mágico ocurrió la primera vez que te vi.
Y aún hoy, cuando te miro rodeado de gente,
siento que no existe nada con una magia mayor
que tu mirada profunda buscando la mía.

¿*T*e acuerdas del principio?
¡Qué revolución provocamos,
qué giro tan absoluto en nuestras vidas,
qué riesgos corrimos, cuántas pruebas!
Siempre que miro hacia atrás,
confirmo que este amor empecinado, intenso,
ha debido ser capaz de una fuerza arrolladora
para desafiarlo todo…

Si no estuvieras...

me acostaría temprano
y vería con frecuencia a mis amigas,
iría dos veces por semana al cine
y leería una novela hasta la madrugada,
disfrutaría la ciudad los sábados por la tarde
en lugar de viajar hasta la paz del campo,
me esforzaría menos en el gimnasio
y escucharía más alto mi música favorita.

Pensándolo bien... si no estuvieras,
iría hasta el fin del mundo a buscarte.

*E*res mi desafío constante;
la cumbre lejana de esa montaña
que ansío escalar; la misteriosa profundidad
que apenas vislumbro al sumergirme;
el último rincón a explorar sin sendero
que me guíe…
Contigo es imposible creer que todo está logrado
y detenerme, por fin, a descansar.
Por eso, amarte es -gracias a Dios-
una aventura que no cesa.

Has creído siempre en mí...

incluso más que yo misma.
Esto (¡vaya una a saber por qué tonto orgullo!)
alguna vez, me enfureció.
Sin embargo, esta convicción tuya ha sido
mi más sólido apoyo,
la fuente de energía a la que acudo
cuando mis fuerzas comienzan a fallar.
Nadie ha confiado nunca en mí
como tú lo haces,
y jamás te lo agradeceré bastante.

Haberte conocido –no sé si alguna vez te lo he contado– hizo que creyera aún más en Dios.
¿Quién sino Él, tenga el nombre que quieras darle, podría haber unido tu destino al mío?
¿Quién sino Él me hubiera elegido –entre todas las personas del mundo– para ser tu compañera?
¿Quién sino Él podría haber imginado este increíble milagro de habernos encontrado?

Yo, que soy una defensora a ultranza de la
verdad, te pido: no me cuentes.
No me cuentes cuántas veces, en medio
de una discusión, deseaste irte para siempre.
No me cuentes cuántas veces te desilusioné
cuando esperabas algo especial de mí.
No me cuentes de esa conversación en la que te
sorprendiste envidiando la libertad
sin amarras de un amigo.
No me cuentes de esa mirada
que cruzaste por la calle...
No me cuentes y no te preocupes.
Yo tampoco te contaré todos mis secretos.

Hoy nos conocemos...

y cada uno puede anticipar casi todas
las reacciones del otro sin temor a equivocarse.
Sé que no confesarás tu fastidio
si no me encuentras cuando me buscas.
Sabes que me ofendo con temible facilidad
si presiento que me criticas.
Sé que, muy temprano a la mañana,
prefieres el silencio a la conversación.
Sabes de mis temibles distracciones.
Sé cuánto te ha costado siempre hacer regalos.

Pero, cuando menos lo espero, cuando creo
que nada puede asombrarme, apareces
con el más emocionante ramo de flores.
Y yo vuelvo a enamorarme.
Porque todavía queda tanto por descubrir...

Celebramos con la familia, con los amigos,
muchas fiestas tradicionales.
Pero, qué íntimo y maravilloso placer
festejar esos secretos aniversarios
que sólo nosotros conocemos...

*U*n día, estando lejos,
me llamaste por teléfono lleno de entusiasmo:
habías descubierto un lugar muy especial.
Al describírmelo, me dijiste
"esto es el paraíso, debemos venir juntos".
Luego, seguimos conversando
acerca de otros temas.
Sólo después me di el tiempo de disfrutarlo:
gracias, amor mío,
por querer llevarme a tu paraíso.

Cuando me exasperas...

-por las mismas razones de siempre-
me detengo un minuto y pienso:
este es el hombre que me volvió loca,
por él sufrí y con él descubrí también
el éxtasis...
Entonces, me rindo en un nuevo instante
de bendita tolerancia.

*E*n nuestra relación, ha habido momentos
en que hemos discutido por nada y por todo;
batallas verbales que muchas veces
terminan con tremendos portazos;
amenazas -gracias a Dios- nunca cumplidas.
Y, después, apasionadas, irremediables
reconciliaciones...
También hemos crecido juntos:
podemos intuir una luz roja
en una conversación difícil; y las palabras
se hacen más sabias y prudentes.
Pero a veces, de tanto en tanto,
qué bueno fruncir el ceño, darnos la espalda,
sólo para volver a caer uno en brazos del otro
jurándonos este amor incondicional, eterno...

Sin ti...

cada acto de mi vida perdería su sentido,
me dejaría ir a la deriva, sin rumbo ni puerto,
porque, aunque no te hago responsable
de mis sueños, eres la última razón de cada uno...
Sin ti, qué haría con el futuro,
con los días uno a uno por venir,
con mi mirada atrás y mis recuerdos...
Sin que me escuches,
a veces te digo en voz muy baja:
por favor, quédate a mi lado,
no te vayas nunca.

Si cuidamos este amor de hoy,
más profundo, más conquistado,
más probado que el de aquel primer día,
no habrá...
dificultad que no podamos enfrentar,
malos tiempos a los que no desafiemos,
tormentas que no podamos atravesar.
Tampoco habrá...
alegrías que no compartamos,
tristezas que no superemos,
enfermedad que no nos ayudemos a soportar,
pobreza que no peleemos juntos,
riqueza que nos haga olvidar de nosotros.
Y nada nos separará.

La vida a tu lado se parece
a esos magníficos desfiles...
Algunas veces obtengo el mejor lugar,
nada se atraviesa ante mis ojos y disfruto
de cada detalle: la música, el lujo y la alegría.
Otras veces, sólo consigo entrever lo que sucede,
escucho los acordes desde lejos
y peleo para ocupar un lugar apenas discreto.
Pero siempre, siempre, prefiero ser parte
de ese desfile que caminar sola por la calle
tristemente vacía.

*P*uedo asegurarlo,
soy una persona independiente: he buscado
y encontrado mi propio lugar en el mundo;
he perseguido y alcanzado muchos sueños;
disfruto de cada una de las cosas que me gustan;
voy sumando algunos logros que me enorgullecen:
trabajo, relaciones, búsquedas personales...
Pero nada de todo esto, tendría para mí
el mismo significado sin tu presencia en mi vida,
que todo, todo, lo completa.

Comparte conmigo...

tus sueños,
para que pueda ayudarte a alcanzarlos;
tus éxitos,
porque también se harán míos;
tus preocupaciones,
para que tu carga sea menos pesada;
tus temores,
porque tal vez disminuyan al hablarlos;
tus desilusiones y tu ira:
podría luchar por ti contra cualquiera;
tus alegrías,
porque nada tuyo me es ajeno;
tu cansancio,
para que te preste mis fuerzas;
tus desafíos,
para que aliste tus armas.
Comparte conmigo tu camino.

*N*os han dicho siempre que la regla de oro
de una pareja es adaptarse uno al otro;
que nadie puede cambiar a nadie.
Pero es falso: tú me cambiaste y yo te cambié.
(Creo que yo te cambié más, si me permites decirlo.)
Fue difícil, pero valió la pena:
realizamos nuestro milagro…

T e amo de muchas maneras:
te amo con alegría
por los buenos momentos compartidos,
te amo con paciencia ante esas cosas tuyas
que me alteran, te amo con ilusión
porque mucho es aún lo que nos espera,
te amo con pasión y con algo de inocencia,
te amo con miedo de perderte
y te amo con la seguridad de saberte mío.
Te amo con esta sola condición:
que me quieras.

Hemos aprendido algunos secretos...

para llevar adelante nuestra relación:
tomar un poco más en broma
lo que nos decimos
cuando estamos de mal humor,
y un poco más en serio lo que sentimos
cuando nos amamos.

*C*onversar bastante,
expresar nuestros sentimientos,
pedir más y esperar menos,
pero sobre todo: callar.
Aunque cueste, callar a tiempo.
A pesar de lo mucho que se diga
acerca de las ventajas de hablarlo todo,
en ocasiones, nada puede ser tan sano
como el silencio.

*N*o olvidar nunca el sueño,
aquel sueño que compartíamos
cuando todo parecía imposible, inalcanzable.
No permitir que desaparezca por culpa de la rutina,
el trabajo, las actitudes conformistas.
Creer firmemente que aquella imagen nuestra,
enamorada, está detrás de un espejo
empañado, sólo desvanecida, esperando…

$\mathcal{H}$emos encontrado la sutil armonía
de permitirnos un tiempo y un espacio personal,
para encontrarnos a nosotros mismos en soledad
o para hacer aquello que nos gusta.
Tal vez ésa sea la clave que, luego,
nos hace disfrutar tanto
la gloria de nuestra mutua compañía.

En nuestro día a día

entre ciertas rutinas
que se van instalando solas,
esta calma parece haber estado aquí
desde siempre.
Y por momentos, echo de menos
aquella etapa de permanente incertidumbre,
de desvelos y ansiedad...
Pero, llega la noche y en la intimidad
volvemos a reconocernos:
la pasión sólo está escondida.

Cualquiera que nos conozca
puede observar qué diferentes somos:
los libros y el deporte;
los conciertos y el aire libre;
la tranquilidad y la urgencia;
lo sentimental y lo práctico...
Pero, sólo nosotros sabemos que,
muy dentro de nuestro corazón,
somos idénticos:
anhelamos las mismas metas,
soñamos las mismas utopías,
y -un poco audaces, un poco solitarios-
tenemos la certeza
de que este amor nos estaba destinado
desde el principio de los tiempos.

$\mathcal{U}$na mañana, temprano,
ordenaba nuestro dormitorio mientras enumeraba
todo lo que debía hacer en el día.
De pronto, al guardar algo, percibí en tu ropa,
fuerte y envolvente, tu perfume.
Lo aspiré con los ojos cerrados.
Mágicamente, desaparecieron las tareas cotidianas,
el beso distraído de la despedida, las urgencias.
Éramos otra vez casi dos desconocidos,
nos brillaban los ojos, tocaban nuestra canción
y nada nos importaba más.
Todo ocurrió en un instante;
cerré el cajón y fui hacia el teléfono.
Esa noche fue diferente a cualquier otra...

Nuestro amor...

fue la emoción del primer beso,
pero también es tener siempre
tu aderezo favorito en la mesa;
era esperar minuto a minuto que me llamaras,
pero también es llevarte esos papeles que olvidaste;
nuestro amor es la pasión y el delirio sin horarios,
pero también, la calidez de tu mano
mientras caminamos; era pensar sólo en ti
todo el día, pero también es detenerme
-cuando estoy ocupadísima-
a preguntarte por el resultado de esa reunión;
nuestro amor era la ansiedad y la locura
de los primeros momentos,
pero también es la serenidad de nuestro presente.
Este amor tuyo y mío es nuestro ayer,
nuestro hoy y la ilusión de nuestro mañana.

*E*ste amor que me ha hecho conocer la plenitud
deberá durar toda la eternidad,
porque no imagino que pueda agotarse
en el breve tiempo de mi vida.
Pero, como soy humana y limitada,
no usaré el tiempo futuro para nombrarlo.
No soy dueña de tu porvenir,
ni siquiera del mío.
Por eso, más allá de la gramática
o de las concordancias te digo:
eres el hombre de mi vida
y te amo, hoy, hasta siempre.

Otros libros para regalar

POR QUÉ
TE QUIERO

POEMAS PARA
ENAMORAR

GRACIAS POR
TU AMOR

ÁMAME
SIEMPRE

NACIMOS PARA
ESTAR JUNTOS

VOCACIÓN DE
ENSEÑAR

DISFRUTA
TUS LOGROS

TODO
ES POSIBLE

NUNCA
TE RINDAS